Collection folio benjamin

Traduction : Yves-Marie Maquet

ISBN : 2-07-039196-5
Titre original: Prinz Bär
© Gertraud Middelhauve Verlag, 1987
© Editions Gallimard, 1987, pour la traduction française,
1988, pour la présente édition
Numéro d'édition: 42961
Dépôt légal: septembre 1988
Imprimé par La Editoriale Libraria

Prince Ours

Helme Heine

Gallimard

Il y a longtemps, bien longtemps,
alors que les contes de fées
étaient encore tout jeunes,

dans chaque ours se cachait
un prince et dans chaque princesse
se cachait un ours.

Pêcheur ou chasseur,
quand un ours en avait assez
de sa vie dans la forêt,
il se postait au bord de la route
et attendait que passe
une princesse.

Elle s'arrêtait. Il montait à côté d'elle
dans la calèche, l'embrassait
et se changeait en prince.
Ensemble ils allaient
au château où le prince
était servi comme un prince.

Quand une princesse était lasse
de sa vie de château,

lasse de devoir se bien conduire,
lasse de toujours être aimable et sage,
elle sellait son cheval
et partait galoper dans la forêt.

Elle embrassait
le premier ours venu,

se métamorphosait et grimpait
aux arbres.

Ou chipait du miel.

Ou allait nager et pêcher.

La vie n'était pas plus compliquée
que cela.
Les ours, les princes et
les princesses étaient heureux
et contents de leur sort.

Un jour, des bûcherons vinrent
dans la forêt et abattirent
les plus beaux des arbres auxquels
les ours avaient l'habitude
de grimper.

Puis, des routes furent construites.
Ces routes, il était très dangereux
de les traverser.

Les ours furent obligés
de se faire établir permis de pêche
et permis de chasse pour avoir
le droit de pêcher et de chasser.

Ils ne se sentaient plus aussi bien
dans leur peau.
Ils voulurent tous devenir prince
ou princesse, ce qui n'a rien
d'étonnant.

Lorsque d'aventure une princesse
entrait à bicyclette dans la forêt
pour y cueillir des champignons,
elle était harcelée par les ours
qui voulaient un baiser.

A tel point qu'on ne laissa plus
les princesses sortir seules.

Les ours se rassemblèrent devant
les donjons et les châteaux.
Ils protestèrent bruyamment,
exigeant qu'on les laisse entrer.
Mais les princes et les princesses
étaient devenus trop nombreux
depuis qu'aucun d'entre eux
ne voulait plus se transformer
en ours, et ils leur crièrent
de déguerpir.

A partir de cet instant, il devint
impossible aux ours de se changer
en princes et aux princesses
de se transformer en ours, même très
longs, les baisers n'y firent plus rien.
Voilà pourquoi, quand les princes
sont tristes, on les console
avec des ours en peluche en souvenir
du bon vieux temps.

BIOGRAPHIE

Helme Heine est né à Berlin en 1941. A peine eut-il achevé ses études de Sciences économiques et d'Histoire de l'Art qu'il quitta l'Allemagne pour voyager en Asie et en Afrique. Helme Heine a vécu dix ans à Johannesburg, la capitale de l'Afrique du Sud. Il y a même fondé un cabaret: «La Choucroute» et s'est fait éditeur d'une feuille satirique du même nom. Maintenant Helme Heine vit à Munich. Son premier livre pour enfants, *Un éléphant ça trompe énormément* (Folio Benjamin), est paru en 1976; et a reçu le prix graphique de la foire de Bologne.

Depuis, nous avons pu lire *Drôle de nuit pour les trois amis*, *Fier de l'aile*, *L'invitée des trois amis*, *Le mariage de cochonnet*, *La perle*, *Le plus bel œuf du monde*, *La promenade des trois amis*, *Samedi au paradis*, *Les trois amis*, *Un éléphant ça trompe énormément*.

Dans chacun de ses livres, on retrouve des images simples, drôles et émouvantes qui illustrent les thèmes de l'amitié, la beauté, la fraternité. Son talent est reconnu dans le monde entier ; les livres de Helme Heine sont traduits en seize langues et adaptés au théâtre ou à la télévision. Le secret de Helme Heine? Il aime la vie!

**Pour les benjamins
qui aiment les contes
de toujours, d'autrefois
et d'aujourd'hui**